W9-DIJ-433

DES
CANADIENS
CÉLÈBRES

David
Suzuki

par Bryan Pezzi

Publié par Weigl Educational Publishers Limited
6325 – 10ᵉ rue SE
Calgary, Alberta, Canada
T2H 2Z9

Site web : www.weigl.ca

Bibliothèque et archives du Canada – Catalogage dans les publications

Pezzi, Bryan
        David Suzuki / Bryan Pezzi.

(Des Canadiens remarquables)
Traduction de: David Suzuki.
Comprend des réf. bibliogr. et un index.
Pour les jeunes.
ISBN 978-1-55388-582-5

        1. Suzuki, David, 1936- --Ouvrages pour la jeunesse.
2. Environnementalistes--Canada--Biographies--Ouvrages
pour la jeunesse. 3. Généticiens--Canada--Biographies--
Ouvrages pour la jeunesse. 4. Écrivains canadiens anglais--
20e siècle--Biographies--Ouvrages pour la jeunesse.
5. Personnalités de la radio et de la télévision--Canada--
Biographies--Ouvrages pour la jeunesse. 6. Vancouver
(C.-B.)--Biographies--Ouvrages pour la jeunesse.
I. Titre. II. Collection: Des Canadiens remarquables

GE56.S89P4914 2009   j333.72092   C2009-904467-6

Imprimé aux États-Unis d'Amérique
2 3 4 5 6 7 8 9 0 13 12 11 10 09

Rédacteur: Frances Purslow
Conception: Terry Paulhus

Nous reconnaissons l'aide financière du gouvernement du Canada par l'entremise du Programme d'aide
au développement de l'industrie de l'édition (PADIÉ) pour ce projet.

Couverture : David Suzuki a écrit des dizaines d'ouvrages et animé de nombreuses émissions télévisées.
Il continue d'essayer à aider l'environnement.

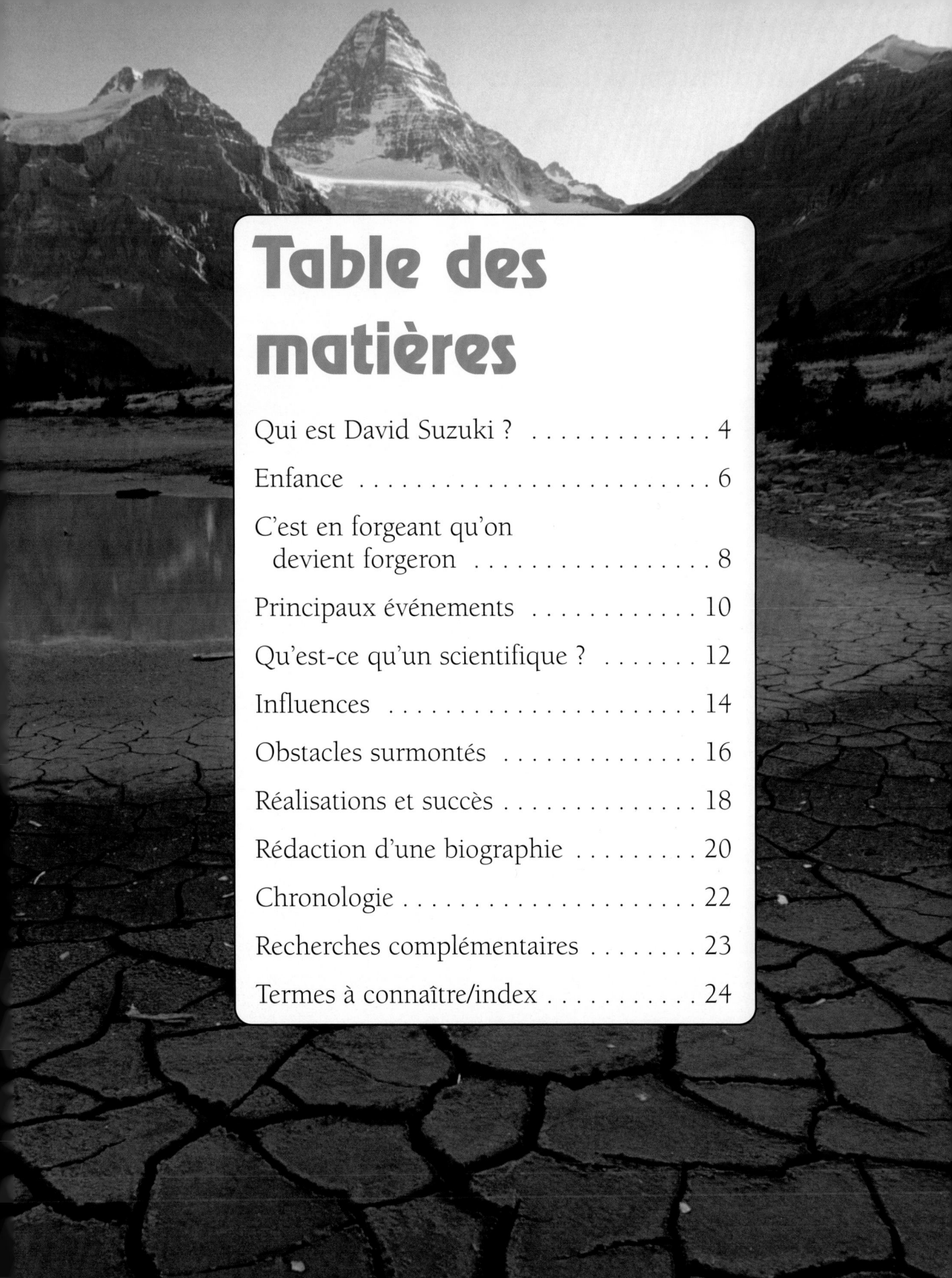

Table des matières

Qui est David Suzuki ?

David Suzuki est un scientifique. Si de nombreux scientifiques restent méconnus, ce n'est certainement pas le cas de David en raison de ses nombreuses apparitions à la télévision. Son émission la plus célèbre se nomme *The Nature of Things*. David y explique la science de manière divertissante et facile à retenir. David aide aussi à sensibiliser le public sur les questions environnementales. Il a fondé en 1990 la Fondation David Suzuki, groupe destiné à protéger la nature. Aujourd'hui, David se consacre à la protection de l'environnement. Il écrit aussi des articles dans les journaux ainsi que des ouvrages et anime des émissions radio.

> **« La bataille pour sauver la Planète est urgente et doit se poursuivre. »**

Enfance

David Takayoshi Suzuki est né à Vancouver, en Colombie-Britannique, le 24 mars 1936. Les parents de David tenaient une blanchisserie dans le quartier de Marpole. La famille vivait dans un appartement à l'arrière de la boutique. David était le seul garçon de la famille. Il avait une soeur jumelle et deux plus jeunes soeurs. Enfant, David était déjà épris de la nature.

La famille de David était canadienne, de descendance japonaise. Ses grands-parents étaient originaires du Japon, mais ses parents sont tous deux nés au Canada. Malgré leur nationalité canadienne, les Suzuki ont été confrontés à la **discrimination**. Les Canadiens japonais n'avaient pas le droit de voter ni d'occuper certains emplois. En 1939, alors que David n'avait que 3 ans, la Deuxième Guerre Mondiale éclatait. Elle s'est poursuivie jusqu'en 1945. Pendant la guerre, le Canada et le Japon luttaient dans des camps adverses. En résultat, les Canadiens japonais dont la famille Suzuki ont été envoyés dans des **camps d'internement**. La famille de David a vécu dans un camp de 1942 jusqu'à la fin de la guerre.

🍁 David et sa soeur jumelle, Marcia, font leur première journée au jardin d'enfants de Vancouver en septembre 1941.

Quelques détails intéressants sur la Colombie-Britannique

ARMOIRIES

ARBRE
Cèdre occidental rouge

FLEUR
Cornouiller du Pacifique

La capitale de la province se nomme Victoria.

La Colombie-Britannique se situe en bordure de l'Océan Pacifique sur la côte Ouest.

La Colombie-Britannique fut la sixième province à rejoindre la **Confédération**.

Vancouver est la plus grande ville de la province.

Plus de 4 millions de personnes vivent en Colombie-Britannique.

La Colombie-Britannique est la province dans laquelle est né David Suzuki et où il vit encore. Étudiez l'environnement de la province. Quelle peut avoir été l'incidence de l'environnement sur la carrière de David ?

C'est en forgeant qu'on devient forgeron

Dès son plus jeune âge, David se passionnait pour la nature. Il aimait passer du temps en plein air avec son père. Ensemble, ils allaient à la pêche et exploraient les lacs et les forêts. Le père de David lui enseignait le nom des animaux, des oiseaux, des arbres et d'autres plantes. Lorsque David grandit, sa famille s'installa à London, en Ontario. David aimait y explorer la nature de Point Pelée et des marécages autour de la ville. Parfois, il ramassait des insectes qu'il exposait.

🍁 David aimait aller pêcher avec son père dans les lacs près de Slocan, en Colombie-Britannique.

Les parents de David souhaitaient le voir réussir à l'école. Ils l'ont aidé à apprendre à s'exprimer en public. Il a participé à son premier concours oratoire en 10ᵉ année. Il y a remporté le premier prix. David en a remporté bien d'autres par la suite. Les discours publics ont aidé David à obtenir une place au conseil des élèves de l'école. Au cours de sa dernière année de niveau secondaire, David s'est présenté pour devenir président des élèves, tâche ardue parce que la majorité des étudiants ne savaient pas grand chose de lui. David a remporté les élections en raison de ses interventions et de ses idées astucieuses.

QUELQUES FAITS

- David est devenu professeur de **zoologie** à l'âge de 33 ans.

- En 1972, David a été élu Japonais Canadien exceptionnel de l'année.

- L'émission *The Nature of Things* a été diffusée par la chaîne de télévision CBC (Canadian Broadcasting Corporation) pendant plus de 30 ans.

🍁 Persuadé qu'il perdrait, David ne voulait pas se présenter comme président. Son père l'a convaincu d'essayer en lui disant « David, quoi que tu fasses, il y aura toujours quelqu'un de meilleur que toi, mais ça ne veut pas dire pour autant que tu ne dois pas essayer. »

Principaux événements

Devenu un scientifique, David s'est mis a faire des découvertes importantes et est vite devenu une source de référence dans le monde scientifique.

En 1962, il fait sa première apparition à la télévision. La chaîne CBC TV lui a demandé d'animer des émissions scientifiques. Il a très vite obtenu sa propre

émission télévisée nommée *Suzuki on Science*. Il a ensuite animé *Science Magazine*, ainsi qu'une émission radio nommée *Quirks and Quarks*. En 1979, David s'est mis à travailler sur la série *The Nature of Things* qui allait en faire une star de la télévision. L'émission a été diffusée dans 83 pays. En 1985, David s'est mis à travailler sur une autre émission. qui se nommait *A Planet for the Taking*. Chaque semaine, environ 1,8 million de personnes regardent son émission.

David écrit parfois pour les journaux. Il est également l'auteur de plus de 35 ouvrages scientifiques. En 2006, David a écrit un ouvrage sur sa propre vie intitulé *David Suzuki: the Autobiography*.

🍁 David a écrit des livres pour enfants sur l'environnement, notamment *You Are the Earth* et *If We Could See the Air*.

Réflexions de David

C'est sa passion de la nature qui a conduit David vers une carrière scientifique. Quelques réflexions personnelles au sujet de son parcours.

Le 7 décembre 1941, le Japon attaque Pearl Harbor.

« ...Pearl Harbor est le plus grand événement ayant influencé ma vie ... »

David étudie les sciences à l'université.

« [Les sciences] exigent de savoir suivre sa curiosité ... »

En grandissant, David forge une relation très étroite avec son père.

« Mon père état ma source d'inspiration, mon héros, le modèle à suivre. »

David visite le Japon en 1968.

« Pour la première fois de ma vie, j'étais entouré de personnes qui me ressemblaient. »

David étudie la génétique de la drosophile.

« J'étais un scientifique à part entière et je n'avais pas peur du travail ni des longues heures. »

David fréquente l'école secondaire de London, en Ontario.

« À l'école, je me suis fait quelques amis, sans qu'aucun ne fasse vraiment partie de l'élite. »

David apparaît à sa propre émission de télévision.

« Je peux pas voir les gens que j'essaie d'atteindre, mais je sais qu'ils sont là. Je les rencontre partout au Canada. »

Qu'est-ce qu'un scientifique ?

David est un scientifique. Un scientifique est une personne qui étudie le monde de la nature. David fait partie d'un groupe spécial de scientifiques nommés généticiens. Ce type de scientifique étudie les gènes sur le terrain. Un gène est un code spécial qui se trouve à l'intérieur des **cellules** de toute créature vivante. Il donne aux animaux et aux plantes leurs **particularités**.

Les scientifiques prouvent le bien-fondé de leurs idées par des expériences. Ils consacrent la majeure partie de leur temps à la recherche. Ils posent des questions au sujet de la nature et s'efforcent ensuite de trouver les réponses. Au Canada, un scientifique peut travailler dans une université, un hôpital ou une enterprise. Certains scientifiques s'efforcent de guérir les maladies. D'autres font des inventions destinées à améliorer la vie des gens. Les sciences comportent de nombreux domaines qui font appel à différents types de scientifiques.

Les scientifiques travaillent bien souvent dans des laboratoires où ils effectuent leurs expériences.

Scientifiques 101

Sir Frederic Banting (1891–1941)

Domaine d'étude Médecine (étude du corps humain et des maladies)

Réalisations Frederic travaillait en partenariat avec Charles Best. Ils ont découvert une **hormone** nommée insuline. Pour demeurer en santé, les personnes atteintes de diabète utilisent l'insuline. C'est la découverte de Frederic qui leur permet d'espérer une meilleure qualité de vie.

Prix Prix Nobel, 1923.

Biruté Galdikas (1946–)

Domaine d'étude Anthropologie (étude du développement des humains)

Réalisations Biruté étudie les orang-outangs. Il s'agit de grands singes qui vivent dans la jungle. Biruté se rend dans la forêt tropicale pour étudier ces animaux dans leur **habitat** naturel.

Prix Prix humanitaire PETA, 1990; Prix Eddie Bauer Hero of the Earth, 1991; Prix Sierra Club Chico Mendes, 1992; Prix Global 500 des Nations Unies, 1993; Prix Tyler (Université de la Californie du Sud), 1997.

Roberta Bondar (1945–)

Domaine d'étude Neurologie (étude du cerveau)

Réalisations Roberta est une scientifique spécialisée en neurologie. Elle étudie le lien entre le cerveau et les yeux, qui permet aux gens de voir. Roberta est aussi la première femme astronaute du Canada. En 1992, elle s'est jointe à l'équipe de la navette spatiale Discovery pour étudier le fonctionnement du corps humain dans l'espace.

Prix Médaille spatiale de la NASA; membre du Temple de la renommée médicale canadienne; Officier de l'Ordre du Canada; membre de la Société royale du Canada; citée au Temple de la renommée de l'International Women's Forum.

David Levy (1948–)

Domaine d'étude Astronomie (étude des étoiles et des planètes)

Réalisations David étudie les comètes. Il s'agit de boules de feu et de poussière qui naviguent dans l'espace. En 1993, avec la collaboration de Gene et Carolyn Shoemaker, David a découvert une comète qui a été nommée Shoemaker-Levy 9 en leur honneur. Cette comète est devenue célèbre en juillet 1994 lorsqu'elle s'est écrasée sur la planète Jupiter. C'était un événement important, car nul n'avait encore jamais vu de comète s'écraser contre une planète.

Prix Plusieurs comètes ont été baptisées en hommage à David.

Microscope

Les scientifiques ont recours à bien des outils pour pouvoir étudier plus facilement la nature. Le microscope est l'un d'entre eux. Cet appareil est équipé d'un objectif permettant d'observer des éléments minuscules. Certaines choses sont trop petites pour être visibles à l'oeil nu, notamment les cellules, les **bactéries** ainsi que les plantes et les animaux microscopiques.

Influences

La plus grande influence sur la vie de David a été sans contredit son père. De son véritable nom Kaoru Suzuki, le père de David était surnommé Carr par tous. Les parents de Carr ont quitté le Japon pour le Canada avant sa naissance. Enfant, Carr a appris les coutumes japonaises de sa famille. Il a aussi également dû apprendre le mode de vie canadien.

Devenu adulte, Carr a épousé Setsu avec qui il a eu quatre enfants. David était le seul garçon et partageait une relation spéciale avec son père.

 Les parents de David, Setsu et Carr Kaoru Suzuki, ont été mariés plus de 50 ans.

David considérait son père comme un vrai héros. C'est lui qui lui a transmis sa passion de la nature. Carr a appris à David à connaître les plantes et les animaux. Ils passaient beaucoup de temps en plein air.

Carr a également enseigné à David l'importance de l'éducation et du travail bien fait. Il s'agissait de leçons importantes qui ont aidé David à réussi en tant qu'étudiant et scientifique.

L'USS *California* était l'un des bâtiments de guerre américains bombardés par les attaques aériennes des Japonais sur Pearl Harbor pendant la Deuxième Guerre Mondiale.

PEARL HARBOR

Pearl Harbor est situé sur l'Île d'Oahu à Hawaii. Il s'agissait d'une base pour les bâtiments de guerre américains. Le 7 décembre 1941, les avions japonais ont attaqué Pearl Harbor. Des bateaux ont été détruits et de nombreuses personnes ont trouvé la mort. Après cette attaque, les États-Unis ont déclaré la guerre au Japon. La vie est devenue beaucoup plus difficile pour les Japonais qui vivaient en Amérique du Nord.

Obstacles surmontés

David Suzuki a été confronté à plusieurs difficultés au cours de la première partie de sa vie, ce qui ne l'a pas empêché de réussir. En tant que Canadien japonais, David s'est heurté au **racisme**. Il n'avait que 6 ans lorsque sa famille et lui-même ont été forcés de déménager en raison de la guerre entre le Canada et le Japon. Tous les Canadien japonais ont été éloignés du littoral de la Colombie-Britannique et une grande partie de leurs biens confisquées.

La famille de David a été transférée dans le camp de la Vallée de Slocan. Leur nouveau foyer était surpeuplé et insalubre. La majorité des enfants parlaient japonais, mais David ne s'exprimait qu'en anglais. David avait du mal à se faire des amis. L'école était également un problème. Pendant la première année de David dans ce camp, aucune école n'avait été mise sur pied.

❉ De nombreux Japonais ont été forcés d'emménager dans des villes abandonnées de la Vallée de Slocan pendant la Deuxième Guerre Mondiale.

À l'âge de 7 ans, David commence l'école en première année. Malgré ses débuts tardifs, il réussit très bien à l'école. En tout juste un an, il réussit ses première, deuxième et troisième années. Au bout de trois (3) ans, la famille de David quitte le camp. Elle emménage en Ontario où David peut ensuite s'inscrire dans une école normale. Là aussi, il réussit parfaitement. Par la suite, David fréquente l'université où il obtient un diplôme en **biologie** et en zoologie.

🍁 Après avoir réussi ses études secondaires, David obtient une bourse pour étudier la biologie au Amherst College dans le Massachusetts.

Réalisations et succès

David a réussi dans bien des domaines de sa vie, notamment dans les sciences, la **télédiffusion** et le **militantisme**. Ses travaux lui ont valu de nombreux prix et distinctions.

David est diplômé en sciences des universités du Massachusetts et de l'Illinois. Ses travaux l'ont ensuite conduit dans le Tennessee, en Alberta et en Colombie-Britannique. À l'Université de la Colombie-Britannique, David a dirigé le plus grand laboratoire génétique du Canada. Il est devenu célèbre pour ses recherches. De 1969 à 1971, David a remporté le prix annuel du meilleur scientifique canadien de moins de 35 ans.

🍁 *The Nature of Things with David Suzuki* a valu à David de nombreux prix, notamment le Best Educational Value Award au Festival international du film animalier et le prix Science and Society Journalism pour la meilleure émission télévisée.

Au cours des années 1970, David est devenu une **célébrité**. Des millions de téléspectateurs regardaient ses émissions télévisées. Il s'est servi de cette célébrité pour sensibiliser le public aux questions environnementales d'importance. En 1976, l'**Ordre du Canada** lui a été décerné. Dix ans plus tard, il était récompensé par les **Nations Unies** pour aider le public à comprendre les sciences. David se consacre également à la résolution des questions environnementales affectant les peuples autochtones.

FONDATION DAVID SUZUKI

En 1990, David et sa femme ont créé la Fondation David Suzuki. Basée à Vancouver, en Colombie-Britannique, elle comporte 40 000 membres environ. Le travail de la fondation est destiné à protéger la nature. Elle entreprend des recherches sur les problèmes auxquels la Terre est confrontée. La fondation publie des bulletins d'information, des brochures et des dossiers d'information sur ces problèmes.
Pour en savoir davantage, consultez le site : **www.davidsuzuki.org**

Aujourd'hui, David vit à Vancouver avec sa femme, Tara Cullis. David continue à s'efforcer d'aider l'environnement. Il a établi sa propre organisation environnementale. Il écrit également une colonne hebdomadaire dans les journaux. Il prononce aussi des discours partout dans le monde. Certaines personnes ne sont pas d'accord avec les opinions très marquées de David. Il défend ses pensées, même si elles dérangent d'autres personnes. En 2005, David a remporté un prix environnemental canadien pour l'ensemble de son œuvre.

🍁 David aime passer du temps avec ses deux plus jeunes filles, Severn et Sarika.

Rédaction d'une biographie

Certaines personnes ont l'occasion de mener une vie pas comme les autres, parce qu'elles doivent surmonter des obstacles ou accomplir des objectifs auxquels nul autre n'est confronté. La vie d'une personne peut facilement devenir le sujet d'un livre que l'on nomme alors biographie. Les bibliothèques en contiennent de nombreuses qui relatent la vie d'acteurs de cinéma, d'athlètes et de dirigeants. Certaines de ces personnes sont encore en vie actuellement ou mortes depuis longtemps. La lecture d'une biographie peut vous aider à mieux connaître une personne.

Il pourra vous être demandé à l'école de rédiger une critique sur une biographie. Commencez par choisir votre sujet, un scientifique David Suzuki, ou toute autre personne qui vous intéresse tout particulièrement. Vérifiez ensuite si la bibliothèque contient des ouvrages au sujet de cette personne. Apprenez le plus d'informations possible à son sujet. Notez les principaux événements qui ont jalonné sa vie. Comment s'est déroulée son enfance ? Qu'a-t-elle accompli ? Quels étaient ses objectifs ? Qu'est-ce que en fait une personne spéciale ou inhabituelle ?

Une toile de concepts constitue un outil de recherché utile. Lisez les questions qui vous sont suggérées dans la toile de concepts suivante. Répondez-y dans votre bloc-notes. Vos réponses vous aideront à rédiger votre critique biographique.

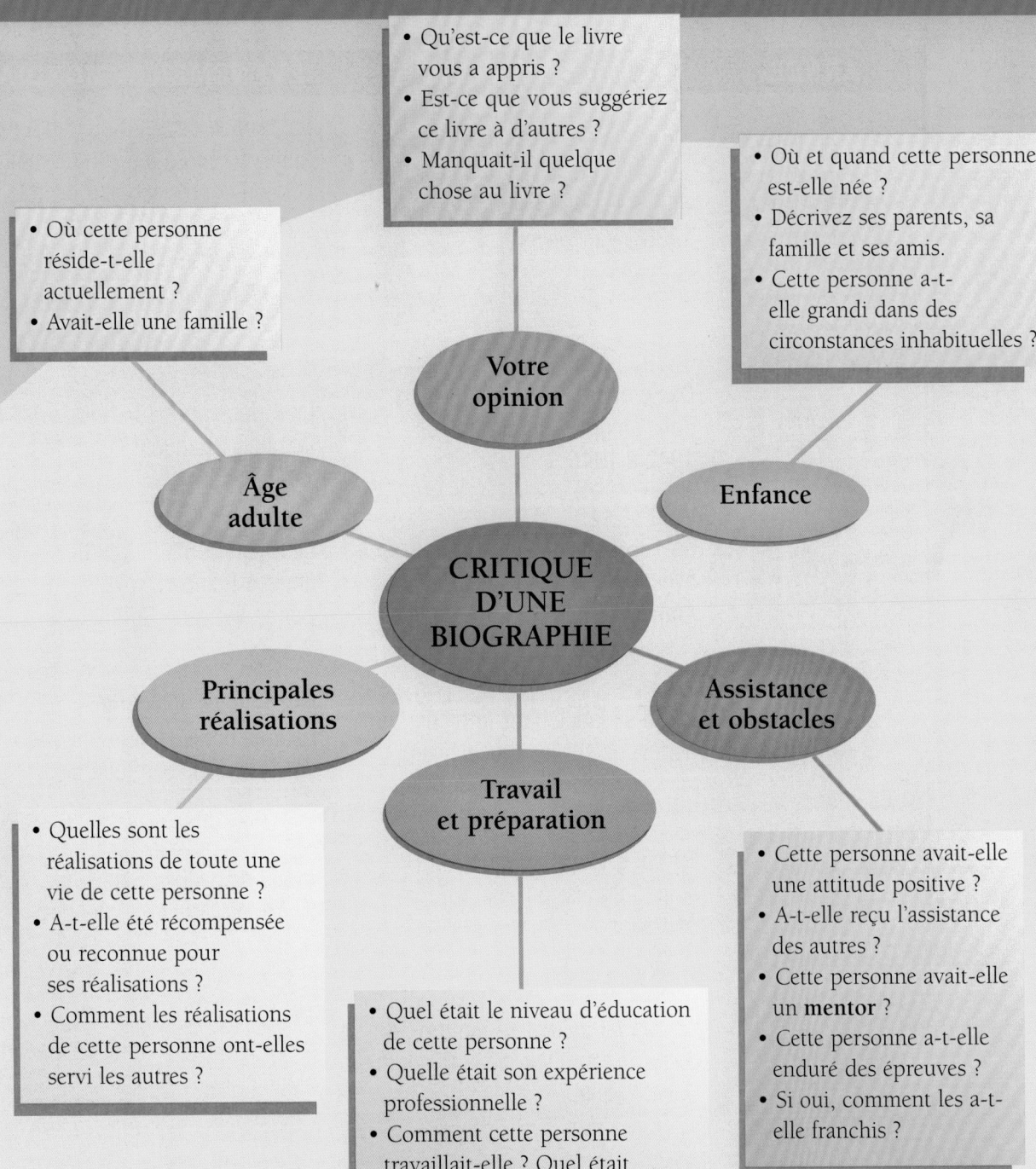

- Qu'est-ce que le livre vous a appris ?
- Est-ce que vous suggériez ce livre à d'autres ?
- Manquait-il quelque chose au livre ?

- Où et quand cette personne est-elle née ?
- Décrivez ses parents, sa famille et ses amis.
- Cette personne a-t-elle grandi dans des circonstances inhabituelles ?

- Où cette personne réside-t-elle actuellement ?
- Avait-elle une famille ?

Votre opinion

Enfance

Âge adulte

CRITIQUE D'UNE BIOGRAPHIE

Principales réalisations

Assistance et obstacles

Travail et préparation

- Quelles sont les réalisations de toute une vie de cette personne ?
- A-t-elle été récompensée ou reconnue pour ses réalisations ?
- Comment les réalisations de cette personne ont-elles servi les autres ?

- Quel était le niveau d'éducation de cette personne ?
- Quelle était son expérience professionnelle ?
- Comment cette personne travaillait-elle ? Quel était son processus ?

- Cette personne avait-elle une attitude positive ?
- A-t-elle reçu l'assistance des autres ?
- Cette personne avait-elle un **mentor** ?
- Cette personne a-t-elle enduré des épreuves ?
- Si oui, comment les a-t-elle franchis ?

Chronologie

ANNÉE	DAVID SUZUKI	ÉVÉNEMENTS MONDIAUX
1930	Naissance de David le 24 mars 1936 à Vancouver.	La période de 1929 au début des années 1940 a été surnommée la Grande dépression. Il n'y a pas grand chose à acheter et de nombreuses personnes perdent leur emploi, leur maison et leur argent.
1940	David et sa famille vivent dans des camps d'internement de 1942 à 1945.	Le 7 décembre 1941, les avions japonais attaquent Pearl Harbor.
1950	En 1958, David obtient un diplôme avec mention en biologie du Amherst College.	Le 2 juin 1953, Elizabeth II devient Reine du Commonwealth Britannique.
1960	David se lance dans la recherche génétique sur les drosophiles.	Les peuples autochtones du Canada obtiennent le droit de vote aux élections fédérales.
1970	En 1979, David commence à animer l'émission *The Nature of Things*.	Tenue des Jeux Olympiques d'été de 1976 à Montréal, Québec.
1990	En 1990, David et sa femme, Tara Cullis, mettent sur pied la Fondation David Suzuki.	En 1996, Dolly le mouton devient le premier **clone** réalisé avec succès.
2000	En 2004, David fait partie des 10 Canadiens les plus célèbres choisis par les téléspectateurs de la chaîne CBC.	En 2005, le Canada lance un plan pour réduire la **pollution** suite au protocole de Kyoto.

Recherches complémentaires

Comment en apprendre davantage sur David Suzuki ?

La majorité des bibliothèques disposent d'ordinateurs connectés à une base de données pour rechercher des informations. En saisissant un mot-clé, vous accédez à une liste d'ouvrages dont dispose la bibliothèque à propos de ce sujet. Les ouvrages de non-fiction sont classés par ordre numérique, selon leur numéro de référence. Les ouvrages de fiction sont classés par ordre alphabétique, selon le nom de l'auteur.

Sites Web

Pour en apprendre plus sur la Fondation David Suzuki, consultez le site www.davidsuzuki.org

Pour en apprendre plus sur les sciences et les scientifiques canadiens, consultez le site www.science.ca

Télévision

The Nature of Things animée par David Suzuki est diffusée sur la chaîne CBC. (Vérifiez la programmation locale)

Termes à connaître

bactérie: forme de vie la plus simple, trop minuscule pour pouvoir être observée sans microscope

biologie: étude des êtres vivants

camps d'internement: endroits où sont regroupées certaines personnes lorsqu'un pays est en guerre

célébrité: quelqu'un de connu

cellule: plus petit élément d'une créature vivante

clone: réplique exacte d'une créature vivante

Confédération: établissement du Canada en 1867

discrimination: traiter les gens différemment en raison de leur race

génétique: étude des gènes, les codes à l'intérieur des cellules qui donnent aux créatures vivantes leurs particularités

habitat: type d'environnement dans lequel un animal ou un plante élit domicile

hormone: substance chimique générée à l'intérieur du corps

mentor: conseiller avisé et digne de confiance

militantisme: défendre une cause ou un problème

Nations Unies: organisation dans laquelle sont représentés la plupart des pays du monde

Ordre du Canada: prix spécial destiné aux Canadiens qui ont accompli quelque chose d'exceptionnel pour le Canada

particularités: qualités

pollution: tout ce qui compromet la salubrité ou la santé dans l'environnement

racisme: traiter les gens différemment en raison de leur race

telediffusion: réalisation de programmes pour la télévision ou pour la radio

zoologie: étude des animaux

Index